ANDREA JOURDAN

Complètement POULET

LES ÉDITIONS DE
L'HOMME
Une société de Québecor Média

Éditrice : Émilie Mongrain
Design graphique : Josée Amyotte
Infographie : Johanne Lemay et Chantal Landry
Révision : Lucie Desaulniers
Correction : Sylvie Massariol
Photographies : Philip Jourdan

Catalogage avant publication de Bibliothèque et
Archives nationales du Québec et Bibliothèque et
Archives Canada

Jourdan, Andrea, 1956-

Poulet

(Complètement)

ISBN 978-2-7619-3669-9

1. Cuisine (Poulet). 2. Livres de cuisine. I. Titre.
II. Collection : Complètement.

TX750.5.C45J68 2014   641.6'65   C2014-940917-6

Imprimé en Chine

06-14

© 2014, Les Éditions de l'Homme,
division du Groupe Sogides inc.,
filiale de Québecor Média inc.
(Montréal, Québec)

Tous droits réservés

Dépôt légal : 2014
Bibliothèque et Archives nationales du Québec

ISBN 978-2-7619-3669-9

DISTRIBUTEUR EXCLUSIF :
Pour le Canada et les États-Unis :
MESSAGERIES ADP*
2315, rue de la Province
Longueuil, Québec J4G 1G4
Téléphone : 450-640-1237
Télécopieur : 450-674-6237
Internet : www.messageries-adp.com
* filiale du Groupe Sogides inc.,
  filiale de Québecor Média inc.

Suivez-nous sur le Web

Consultez nos sites Internet et inscrivez-vous
à l'infolettre pour rester informé en tout
temps de nos publications et de nos concours
en ligne. Et croisez aussi vos auteurs préférés
et notre équipe sur nos blogues !
EDITIONS-HOMME.COM
EDITIONS-JOUR.COM
EDITIONS-PETITHOMME.COM
EDITIONS-LAGRIFFE.COM

Pour en savoir plus sur l'auteur,
andreajourdan.com

Gouvernement du Québec – Programme de crédit
d'impôt pour l'édition de livres – Gestion SODEC –
www.sodec.gouv.qc.ca

L'Éditeur bénéficie du soutien de la Société de
développement des entreprises culturelles du Québec
pour son programme d'édition.

Conseil des Arts   Canada Council
du Canada   for the Arts

Nous remercions le Conseil des Arts du Canada de
l'aide accordée à notre programme de publication.

Nous reconnaissons l'aide financière du gouvernement
du Canada par l'entremise du Fonds du livre du Canada
pour nos activités d'édition.

Table des matières

Minibrochettes de poulet yakitori

PORTIONS: 4 **PRÉPARATION:** 10 min **RÉFRIGÉRATION:** 2 h **CUISSON:** 10 min

60 ml (¼ tasse) de sauce soya

5 c. à soupe de mirin

3 c. à soupe de saké (ou de jus d'orange)

3 c. à soupe de sucre

4 filets de poulet, coupés en 12 cubes

1 c. à soupe d'huile de sésame

2 c. à soupe de graines de sésame

Dans un grand bol, mélanger au fouet la sauce soya, le mirin, le saké et 2 c. à soupe de sucre. Ajouter les cubes de poulet et mélanger. Couvrir et laisser mariner 2 heures au réfrigérateur.

Embrocher les cubes de poulet sur 4 petites brochettes de bois (3 cubes de poulet par brochette).

Verser la marinade dans une casserole. Ajouter le reste du sucre. Porter à ébullition et laisser mijoter 5 minutes.

Dans un grand poêlon à feu élevé, chauffer l'huile de sésame et cuire les brochettes 2 minutes de chaque côté. Badigeonner chaque fois de sauce chaude avant de retourner les brochettes. Rouler les brochettes dans les graines de sésame et servir immédiatement.

Rouleaux de printemps au poulet

PORTIONS: 4 **PRÉPARATION:** 15 min

3 c. à soupe de mayonnaise

1 c. à café de sauce sambal oelek

1 c. à soupe de sirop d'érable

2 c. à soupe de coriandre fraîche hachée

8 galettes de riz de 23 cm (9 po)

60 g (2 tasses) de roquette

300 g (10 oz) de poulet cuit, en morceaux

4 gros abricots frais, en quartiers

2 c. à soupe de graines de sésame

Quelques feuilles de coriandre

Dans un petit bol, mélanger la mayonnaise, la sauce sambal oelek, le sirop d'érable et la coriandre.

Plonger les galettes de riz dans un bol d'eau tiède, les égoutter et les déposer sur un linge propre.

Tartiner les galettes de riz de mayonnaise épicée. Ajouter un peu de roquette, des morceaux de poulet et quelques quartiers d'abricot. Saupoudrer de graines de sésame. Ajouter quelques feuilles de coriandre. Rouler la galette de riz autour de la garniture, en repliant les bords.

Servir immédiatement ou couvrir d'un linge humide et conserver au réfrigérateur quelques heures.

Samoussa de poulet épicé

PORTIONS: 6 **PRÉPARATION:** 35 min **CUISSON:** 6 min

450 g (1 lb) de poulet, cuit
    et émincé

2 c. à soupe de persil haché

½ c. à café de poivre de Sichuan
    moulu

1 c. à café de gingembre moulu

½ c. à café de coriandre moulue

1 c. à soupe de zeste de citron

1 petit piment oiseau, haché

1 pincée de sel

6 feuilles de brick (pâte feuilletée
    orientale)

60 ml (¼ tasse) d'huile de tournesol

Dans un grand bol, mélanger le poulet, le persil, le poivre de Sichuan, le gingembre, la coriandre, le zeste de citron, le piment oiseau et le sel.

Couper chaque feuille de brick en 2 bandes. Déposer 1 bonne cuillerée de préparation au poulet sur chacune. Replier les bandes sur la farce en formant un triangle.

Dans un grand poêlon, chauffer l'huile de tournesol. Ajouter les triangles de brick et dorer 3 minutes de chaque côté. Servir immédiatement.

Crème de poulet et de céleri

PORTIONS: 6 **PRÉPARATION:** 25 min **CUISSON:** 50 min

1 c. à soupe d'huile d'olive extra vierge

1 gros oignon doux, en dés

1 petit céleri-rave, pelé et coupé en dés

6 branches de céleri avec les feuilles, en dés

2 grosses pommes de terre à chair jaune, pelées, en dés

3 litres (12 tasses) de bouillon de poulet

1 c. à café de sel de céleri

450 g (1 lb) de poulet cuit, en dés

1 c. à café de cerfeuil haché

Dans une grande casserole, chauffer l'huile d'olive. Ajouter l'oignon, le céleri-rave, le céleri et les pommes de terre. Faire revenir 5 minutes. Ajouter le bouillon de poulet, le sel de céleri et les dés de poulet. Porter à ébullition. Baisser le feu et cuire 40 minutes.

À l'aide d'une écumoire, transférer les légumes et le poulet au robot culinaire. Mélanger jusqu'à l'obtention d'une purée lisse. Ajouter lentement le bouillon, en mélangeant.

Verser le mélange dans la casserole. Ajouter le cerfeuil et réchauffer à feu doux 5 minutes. Servir immédiatement.

Soupe de poulet aux nouilles coupe-froid

PORTIONS: 8 **PRÉPARATION:** 25 min **CUISSON:** 1 h

1 c. à soupe d'huile de tournesol

1 gros oignon, en dés

2 carottes, hachées grossièrement

2 branches de céleri, hachées grossièrement

4 litres (16 tasses) de bouillon de poulet

900 g (2 lb) de hauts de cuisses de poulet, désossés et coupés en dés

1 feuille de laurier

1 branche de thym frais haché

Le zeste de 1 citron en 1 seul morceau

Sel et poivre

225 g (½ lb) de nouilles aux œufs

2 c. à soupe de persil frais haché

Dans une grande casserole, chauffer l'huile de tournesol. Ajouter l'oignon, les carottes et le céleri. Faire sauter 5 minutes. Verser le bouillon de poulet et porter à ébullition. Ajouter les dés de poulet, le laurier, le thym et le zeste de citron. Baisser le feu et laisser frémir 45 minutes.

Retirer le zeste de citron. Goûter et assaisonner d'une pincée de sel et de poivre, au besoin. Porter à ébullition. Ajouter les nouilles et le persil et cuire 10 minutes. Servir immédiatement dans des bols chauds.

Salade d'effiloché de poulet aux kiwis et aux poires

PORTIONS: 4   **PRÉPARATION:** 15 min

350 g (¾ lb) de poitrine de poulet,
   cuite et coupée en fines lanières

3 kiwis, pelés et coupés
   en quartiers

3 branches de céleri, en dés

3 poires, non pelées, en julienne

60 ml (¼ tasse) d'huile de tournesol

2 c. à soupe de jus de citron

60 ml (¼ tasse) de jus de pomme

3 c. à soupe de sirop d'érable

5 gouttes de tabasco

Sel et poivre

Dans un saladier, mélanger le poulet, les kiwis, le céleri et les poires.

Dans un petit bol, mélanger l'huile de tournesol, le jus de citron, le jus de pomme, le sirop d'érable et le tabasco. Assaisonner généreusement de sel et de poivre. Verser sur la salade et touiller délicatement. Servir immédiatement.

Salade de poulet aux noix et au roquefort

PORTIONS: 4   **PRÉPARATION:** 20 min   **CUISSON:** 5 min

100 g (¾ tasse) de noix

250 ml (1 tasse) de mayonnaise

125 ml (½ tasse) de crème sure

2 c. à soupe de jus d'orange

4 c. à soupe d'huile de noix

225 g (½ lb) de roquefort

Sel et poivre

1 laitue

450 g (1 lb) de poitrine de poulet, cuite et coupée en tranches fines

1 grappe de raisins

Dans un poêlon, à sec, griller les noix 4 minutes. Réserver.

Dans un bol, mélanger la mayonnaise, la crème sure, le jus d'orange et l'huile de noix. Émietter la moitié du roquefort et ajouter à la mayonnaise. Saler un peu et poivrer généreusement.

Dans des assiettes individuelles, disposer quelques feuilles de laitue, quelques tranches de poulet et quelques raisins. Verser un peu de sauce. Garnir de noix grillées et du reste du roquefort. Servir avec le reste de la sauce en accompagnement.

Brochettes de poulet mariné au yogourt épicé

PORTIONS: 4 **PRÉPARATION :** 15 min **RÉFRIGÉRATION:** 30 min **CUISSON:** 12 min

125 ml (½ tasse) de yogourt nature

3 c. à soupe de jus de citron vert

2 c. à soupe d'huile d'olive extra vierge

2 cm (¾ po) de racine de gingembre, pelée et râpée

1 oignon vert, haché

1 c. à café de cumin moulu

1 pincée de sel et de poivre

900 g (2 lb) de poitrines de poulet, coupées en fines lanières

Au robot culinaire, mélanger le yogourt, le jus de citron vert, l'huile d'olive, le gingembre, l'oignon vert, le cumin, le sel et le poivre.

Verser la marinade au yogourt dans un bol. Ajouter le poulet et mélanger pour bien l'enrober. Couvrir et réfrigérer 30 minutes.

Préchauffer le gril du four (ou du barbecue).

Éponger les lanières de poulet sur du papier essuie-tout et les enfiler sur des brochettes. Déposer sur une plaque de cuisson et griller 6 minutes de chaque côté. Servir avec du riz ou sur une salade.

Cari de poulet aux fruits frais

PORTIONS: 6   **PRÉPARATION:** 30 min   **CUISSON:** 10 min

1 kg (2,2 lb) de poitrines de poulet

2 oignons, en cubes

1 c. à café de curcuma

Sel et poivre

3 c. à soupe d'huile d'arachide

500 ml (2 tasses) de yogourt
nature

6 c. à soupe de jus de citron vert

2 gousses d'ail, hachées

1 c. à soupe de menthe, hachée

2 c. à soupe de coriandre fraîche,
hachée

1 ananas, pelé et coupé en dés

3 bananes un peu vertes,
en tranches

1 piment, haché

1 litre (4 tasses) de bouillon
de poulet

2 c. à soupe de poudre de cari

1 c. à café de sucre

5 c. à soupe de noix de coco,
râpée

225 g (½ lb) de riz, cuit

Dans un grand bol, mélanger le poulet et les oignons. Saupoudrer de curcuma et d'une pincée de sel et de poivre. Arroser de 2 c. à soupe d'huile d'arachide et mélanger.

Dans un bol, mélanger le yogourt, la moitié du jus de citron vert, la moitié de l'ail, la menthe et la coriandre. Saler et poivrer légèrement. Réfrigérer jusqu'au moment de servir.

Déposer l'ananas et les bananes dans un saladier. Arroser du reste du jus de citron vert. Réfrigérer.

Dans une casserole, dorer le poulet, sa marinade et le piment 5 minutes. Ajouter le bouillon de poulet, le reste de l'ail et le cari. Mélanger et cuire 5 minutes à feu moyen.

Retirer du feu, ajouter le sucre, les fruits et la sauce au yogourt. Parsemer de noix de coco.

Répartir dans des assiettes individuelles et servir avec le riz.

Chili con carne au poulet

PORTIONS: 6   **PRÉPARATION:** 10 min   **TREMPAGE:** 4 h   **CUISSON:** 2 h 05

225 g (½ lb) de haricots rouges, secs

1 bouquet garni (laurier, thym, céleri, persil)

Sel

2 c. à soupe d'huile d'olive extra vierge

600 g (1 ⅓ lb) de poulet, haché

3 oignons, hachés

5 grosses tomates, en dés

250 ml (1 tasse) de bière blonde

1 c. à soupe de concentré de tomate

1 c. à café de cumin moulu

2 c. à café de piment moulu

1 c. à soupe de tabasco

Dans une casserole d'eau froide, laisser tremper les haricots rouges 4 heures.

Égoutter les haricots rouges, rincer et remettre dans la casserole. Ajouter le bouquet garni. Couvrir d'eau froide et cuire à feu moyen 1 h 30 ou jusqu'à ce que les haricots soient tendres. Égoutter et saler légèrement.

Dans une grande casserole, chauffer l'huile d'olive. Ajouter le poulet et les oignons. Faire revenir 5 minutes. Ajouter les tomates, la bière, le concentré de tomate, le cumin, le piment, le tabasco et une pincée de sel. Laisser mijoter 20 minutes à feu doux.

Ajouter les haricots et mélanger. Cuire à feu doux 10 minutes.

Verser dans des bols individuels et servir très chaud.

NOTE : La préparation de ce chili sera plus rapide si l'on utilise des haricots rouges en conserve.

Escalopes de poulet à la noix de coco et à l'orange

PORTIONS: 4   **PRÉPARATION:** 10 min   **CUISSON:** 15 min

4 escalopes de poulet

Sel et poivre

125 ml (½ tasse) de lait de coco

1 c. à soupe de pâte de cari rouge

½ c. à café de gingembre,
    en poudre

60 ml (¼ tasse) de bouillon
    de poulet

60 ml (¼ tasse) de jus d'orange

4 oranges, pelées à vif et séparées
    en suprêmes

2 oignons verts, hachés

100 g (1 tasse) de noix de coco
    râpée, grillée

Assaisonner les escalopes de poulet de sel et de poivre.

Dans une grande casserole, mélanger le lait de coco, la pâte de cari, le gingembre, le bouillon de poulet et le jus d'orange. Porter à ébullition. Ajouter les escalopes de poulet et cuire à feu doux 15 minutes.

Dans un bol, mélanger les suprêmes d'orange et les oignons verts.

Dresser les escalopes dans des assiettes individuelles et saupoudrer de noix de coco. Garnir du mélange d'oranges et d'oignons verts et servir immédiatement.

Escalopes de poulet au vin blanc

PORTIONS: 4 **PRÉPARATION:** 10 min **CUISSON:** 15 min

1 c. à soupe de farine tout usage

½ c. à café de graines de coriandre, moulues

1 pincée de sel et de poivre

4 escalopes de poulet

3 c. à soupe de beurre

3 échalotes, hachées

250 ml (1 tasse) de vin blanc sec

3 c. à soupe de crème à cuisson 35 %

Dans une assiette, mélanger la farine, la coriandre, le sel et le poivre.

Passer les escalopes dans la farine et secouer pour retirer l'excédent.

Dans un poêlon, faire fondre 1 c. à soupe de beurre. Ajouter les échalotes et faire sauter 3 minutes. Réserver les échalotes dans une assiette.

Dans le même poêlon à feu moyen, faire fondre le reste du beurre et sauter les escalopes 3 minutes. Retourner les escalopes et cuire jusqu'à ce qu'elles soient légèrement dorées. Ajouter le vin blanc et, à l'aide d'une cuillère de bois, racler le fond du poêlon. Ajouter les échalotes et cuire 3 minutes.

Disposer les escalopes et les échalotes dans des assiettes individuelles.

Verser la crème dans le poêlon et porter à ébullition. Verser sur les escalopes et servir immédiatement.

Fricassée rapide de poulet à l'ail

PORTIONS : 6 **PRÉPARATION :** 10 min **CUISSON :** 50 min

2 c. à soupe d'huile d'olive extra vierge

2 gros oignons rouges, en quartiers

12 gousses d'ail, pelées

900 g (2 lb) de hauts de cuisses de poulet, désossés et coupés en morceaux

Sel et poivre

250 ml (1 tasse) de bouillon de poulet

250 ml (1 tasse) de vin blanc sec

4 branches de thym frais, haché

2 feuilles de laurier

2 c. à soupe de jus de citron vert

Préchauffer le four à 180 °C (350 °F).

Dans une cocotte pouvant aller au four, chauffer l'huile d'olive et faire sauter les oignons, les gousses d'ail et le poulet 5 minutes. Saler et poivrer généreusement. Verser le bouillon de poulet et mélanger en raclant les sucs de cuisson avec une spatule. Ajouter le vin blanc, le thym et les feuilles de laurier. Couvrir la cocotte et cuire au four 45 minutes.

Retirer du four, ajouter le jus de citron vert et laisser reposer 5 minutes. Servir avec des nouilles au beurre.

Hauts de cuisses de poulet aux olives et aux herbes de Provence

PORTIONS: 4   **PRÉPARATION:** 10 min   **CUISSON:** 40 min

4 c. à soupe de beurre

12 hauts de cuisses de poulet

3 c. à café d'herbes de Provence

2 gousses d'ail, hachées

1 pincée de sel et de poivre

60 ml (¼ tasse) de bouillon de poulet

125 ml (½ tasse) de vin blanc sec

1 c. à soupe de zeste de citron

150 g (1 tasse) d'olives, noires et vertes

4 tranches de pain de campagne

Dans une casserole, faire fondre le beurre. Ajouter le poulet et cuire jusqu'à ce qu'il soit légèrement doré. Ajouter les herbes de Provence, l'ail, le sel et le poivre. Verser le bouillon de poulet et cuire 20 minutes, en arrosant souvent le poulet de son jus de cuisson. Ajouter le vin blanc, le zeste de citron et les olives. Cuire à découvert 10 minutes.

Répartir dans des assiettes individuelles et servir très chaud avec du pain de campagne.

Hauts de cuisses de poulet sautés aux nouilles et au basilic

PORTIONS: 4   **PRÉPARATION:** 30 min   **CUISSON:** 50 min

2 carottes, râpées

2 oignons, émincés

1 c. à soupe de basilic thaïlandais haché

2 c. à café de fleur de sel

3 c. à soupe de vinaigre de vin

250 ml (1 tasse) de jus d'orange

4 c. à soupe d'huile d'olive extra vierge

½ c. à café de poivre moulu

3 c. à soupe de basilic frais haché + 1 bouquet, effeuillé

1 pincée de garam masala doux

1 c. à café de paprika doux

12 hauts de cuisses de poulet

300 g (10 oz) de nouilles aux œufs larges

Préchauffer le four à 190 °C (375 °F).

Dans un grand bol, mélanger les carottes et les oignons. Ajouter le basilic thaïlandais, 1 c. à café de fleur de sel, le vinaigre de vin, le jus d'orange, 2 c. à soupe d'huile d'olive et le poivre. Mélanger.

Dans un plat allant au four, mélanger 3 c. à soupe de basilic haché, le garam masala, le paprika et le reste de l'huile d'olive. Ajouter le poulet et le retourner dans la marinade pour bien l'enrober. Couvrir de papier d'aluminium et cuire au four 20 minutes. Tourner les morceaux de poulet et les recouvrir du mélange carotte-oignon. Remettre au four et poursuivre la cuisson 20 minutes.

Entre-temps, dans une casserole d'eau bouillante salée, cuire les nouilles *al dente*. Égoutter et transférer dans un grand bol. Ajouter le basilic effeuillé.

Saupoudrer le poulet de quelques grains de fleur de sel. Déposer sur les nouilles, mélanger et servir immédiatement.

Lasagne au poulet et aux épinards

PORTIONS: 4 **PRÉPARATION:** 20 minutes **CUISSON:** 55 minutes

450 g (1 lb) de lasagnes de blé entier

225 g (1 tasse) de beurre

1 oignon, haché finement

5 c. à soupe de farine tout usage

1 litre (4 tasses) de lait

Sel et poivre

½ c. à café de muscade moulue

2 courgettes, tranchées sur la longueur

225 g (7 ½ tasses) d'épinards frais hachés

450 g (1 lb) de poulet, cuit et coupé en lanières

225 g (½ lb) de mozzarella, râpée

Préchauffer le four à 180 °C (350 °F).

Dans une casserole d'eau bouillante salée, cuire les lasagnes *al dente*. Égoutter et réserver sur un linge propre.

Dans une casserole, faire fondre le beurre et sauter l'oignon 3 minutes. Ajouter la farine et cuire 1 minute en mélangeant constamment. Incorporer le lait lentement, en fouettant. Saler et poivrer. Ajouter la muscade. Cuire jusqu'à ce que la préparation ait épaissi.

Tapisser un plat à gratin de lasagnes. Déposer successivement une couche de sauce, de courgettes, d'épinards, de lanières de poulet et de sauce. Couvrir d'un rang de lasagnes. Terminer par une couche de sauce et parsemer de mozzarella. Cuire au four 30 minutes. Servir immédiatement.

Pâtes courtes au poulet, sauce crémeuse aux asperges

PORTIONS: 6 **PRÉPARATION:** 10 min **CUISSON:** 35 min

2 bottes d'asperges vertes

1 c. à soupe de persil haché

250 ml (1 tasse) de crème
à fouetter 35 %

¼ c. à café de muscade moulue

Sel et poivre

2 c. à soupe d'huile d'olive
extra vierge

2 oignons, hachés

1 poivron, en lanières

4 escalopes de poulet, en dés

125 ml (½ tasse) de bouillon de
poulet

450 g (1 lb) de pennes ou
de torsades

4 c. à soupe de parmesan râpé

2 c. à soupe d'amandes effilées

Cuire les asperges à la vapeur 5 minutes. Garder quelques asperges pour la décoration et transférer les autres au robot culinaire. Ajouter le persil et mélanger jusqu'à l'obtention d'une purée lisse. Ajouter la crème, la muscade et une pincée de sel et de poivre. Mélanger.

Dans un poêlon, chauffer l'huile d'olive et faire sauter les oignons et le poivron 4 minutes. Ajouter le poulet et faire sauter 4 minutes. Saler et poivrer légèrement. Verser le bouillon de poulet et laisser mijoter 10 minutes ou jusqu'à ce que le bouillon soit presque entièrement évaporé. Incorporer la crème d'asperges et réchauffer 4 minutes, en remuant.

Entre-temps, dans une casserole d'eau bouillante salée, cuire les pâtes *al dente*. Égoutter.

Ajouter les pâtes dans le poêlon et mélanger. Transférer dans des bols chauds. Garnir de parmesan et d'amandes. Servir immédiatement.

Pizza au poulet et aux poireaux

PORTIONS: 4   **PRÉPARATION:** 15 min   **CUISSON:** 25 min

1 c. à soupe de beurre

2 poireaux, émincés

1 oignon blanc, en rondelles

Sel et poivre

250 g (9 oz) de poulet, cuit et coupé en fines lanières

1 pâte à pizza surgelée (ou faite maison)

125 ml (½ tasse) de coulis de tomate

½ brocoli, en bouquets

2 c. à soupe de cheddar râpé

60 g (½ tasse) de parmesan râpé

Préchauffer le four à 190 °C (375 °F).

Dans un poêlon à feu doux, fondre le beurre et faire revenir les poireaux et les oignons 5 minutes. Saler et poivrer généreusement. Transférer dans un bol.

Dans le même poêlon, sauter le poulet 5 minutes.

Napper la pâte à pizza de coulis de tomate. Étaler les poireaux et les oignons sur la pâte. Ajouter le brocoli, le poulet et le cheddar. Cuire au four 15 minutes.

Retirer du four et servir.

Poitrines de poulet à la diable

PORTIONS: 4   **PRÉPARATION:** 10 min   **RÉFRIGÉRATION:** 2 h   **CUISSON:** 50 min

250 ml (1 tasse) de sauce tomate

1 c. à soupe de cassonade

2 c. à soupe de moutarde de Dijon

2 c. à soupe de sauce Worcestershire

2 c. à soupe d'origan séché

4 gousses d'ail, écrasées

1 c. à café de piment séché broyé

4 poitrines de poulet

Dans une casserole, mélanger la sauce tomate, la cassonade, la moutarde, la sauce Worcestershire, l'origan, l'ail et le piment. Cuire 5 minutes à feu moyen, en remuant.

Déposer les poitrines de poulet dans un plat allant au four et couvrir de la marinade. Réfrigérer 2 heures.

Préchauffer le four à 180 °C (350 °F).

Cuire au four les poitrines de poulet 30 minutes. Les retourner et poursuivre la cuisson 15 minutes ou jusqu'à ce que les poitrines soient très grillées.

Servir avec une salade verte.

Poitrines de poulet aux fruits secs et aux noisettes

PORTIONS: 4　**PRÉPARATION:** 15 min　**CUISSON:** 35 min

2 c. à soupe de farine

¼ c. à café de cumin, moulu

Sel et poivre

4 poitrines de poulet, désossées et sans la peau

1 c. à soupe d'huile d'olive extra vierge

1 c. à soupe de beurre

60 g (2 oz) de pommes séchées, hachées

4 c. à soupe de raisins secs

4 dattes, dénoyautées

4 pruneaux, dénoyautés

60 ml (¼ tasse) de noisettes, grillées

2 c. à café de ras-el-hanout (mélange d'épices à couscous)

250 ml (1 tasse) de bouillon de poulet

2 c. à soupe de miel

Dans une assiette, mélanger la farine, le cumin et une pincée de sel et de poivre. Rouler les poitrines de poulet dans le mélange.

Dans un poêlon, chauffer l'huile d'olive et faire revenir les poitrines de poulet 3 minutes de chaque côté. Ajouter le beurre, les pommes, les raisins, les dattes, les pruneaux et les noisettes. Saupoudrer de ras-el-hanout. Verser le bouillon de poulet et cuire 25 minutes.

Retirer les poitrines de poulet du poêlon et réserver. Ajouter le miel dans le poêlon et porter la sauce à ébullition.

Couper les poitrines de poulet en tranches épaisses et servir avec la sauce aux fruits secs et aux noisettes.

Poitrines de poulet farcies aux épinards et au bacon

PORTIONS: 4   **PRÉPARATION:** 20 min   **CUISSON:** 35 min

8 tranches de bacon, hachées

350 g (12 tasses) d'épinards hachés

4 c. à soupe de crème fraîche

½ c. à café de poivre noir moulu

4 poitrines de poulet, désossées et sans la peau

¼ c. à café de sel

2 c. à soupe de farine tout usage

2 c. à soupe d'huile d'olive extra vierge

Préchauffer le four à 180 °C (350 °F).

Dans un poêlon, griller le bacon jusqu'à ce qu'il soit cuit, mais pas croustillant.

Dans un bol, mélanger les épinards, la crème et le bacon. Poivrer.

Déposer les poitrines de poulet sur une surface de travail. Couper les poitrines sur la largeur pour former une poche. Farcir chaque poitrine du mélange aux épinards. Maintenir à l'aide de cure-dents. Saler les poitrines sur toutes les faces.

Dans une assiette, verser la farine. Rouler les poitrines de poulet dans la farine.

Dans un poêlon, chauffer l'huile d'olive. Ajouter les poitrines de poulet farcies et faire revenir 2 minutes de chaque côté. Transférer dans un plat allant au four et couvrir (avec un couvercle ou avec du papier d'aluminium). Cuire au four 30 minutes.

Retirer du four, laisser reposer 3 minutes et couper en tranches. Servir immédiatement.

Poulet cacciatore

PORTIONS: 4   **PRÉPARATION:** 20 min   **CUISSON:** 1 h 10

3 c. à soupe de farine

¼ c. à café de sel

¼ c. à café de poivre

1 poulet, coupé en 8 morceaux

3 c. à soupe d'huile d'olive
extra vierge

2 oignons, émincés

2 gousses d'ail, hachées

2 poivrons verts, en lamelles

125 ml (½ tasse) de vin rouge

400 g (14 oz) de tomates
concassées en conserve

4 branches de thym frais,
effeuillées

1 c. à soupe d'origan frais haché

Déposer la farine, le sel et le poivre dans une assiette. Fariner les morceaux de poulet.

Dans une grande casserole, chauffer l'huile d'olive et dorer les morceaux de poulet de tous côtés. Ajouter les oignons, l'ail et les poivrons. Cuire 3 minutes. Ajouter le vin rouge et porter à ébullition. Laisser réduire de moitié. Ajouter les tomates, le thym et l'origan. Baisser le feu, couvrir et laisser mijoter 30 minutes.

Retirer le couvercle et poursuivre la cuisson 20 minutes.

Servir avec des pâtes.

Poulet entier rôti aux épices chaudes

PORTIONS: 6 **PRÉPARATION:** 25 min **CUISSON:** 1 h

4 c. à soupe de miel

1 c. à soupe de vinaigre balsamique

1 c. à soupe d'huile d'olive extra vierge

1 c. à café de cumin moulu

1 c. à café de piment de la Jamaïque moulu

1 c. à café de piment séché

Sel et poivre

1 gros poulet fermier

2 bâtons de cannelle

6 branches d'origan frais

2 c. à soupe de beurre froid, en dés

375 ml (1 ½ tasse) de bouillon de poulet

Dans un bol, mélanger le miel, le vinaigre balsamique, l'huile d'olive, le cumin, le piment de la Jamaïque et le piment séché.

Saler et poivrer l'intérieur du poulet. Soulever délicatement la peau du poulet et badigeonner la chair de préparation épicée. Verser le reste de la préparation épicée sur la peau du poulet. Déposer le poulet dans un plat allant au four. Placer 1 bâton de cannelle sur chaque cuisse. Garnir de branches d'origan. Parsemer de dés de beurre. Verser le bouillon de poulet autour du poulet. Cuire au four 1 heure en arrosant souvent avec le jus de cuisson.

Servir avec du riz vapeur.

Risotto au poulet César

PORTIONS: 6   **PRÉPARATION:** 10 min   **CUISSON:** 35 min

2 litres (8 tasses) de bouillon
de poulet

2 c. à soupe d'huile d'olive
extra vierge

2 c. à soupe de beurre

1 oignon, haché finement

2 poitrines de poulet, sans la peau,
en dés

500 ml (2 tasses) de riz à risotto
(Carnaroli ou Vialone)

2 filets d'anchois, écrasés

1 c. à café de poivre noir moulu

1 c. à café de sauce Worcestershire

4 c. à soupe de fromage parmesan
râpé + 50 g (½ tasse)
en copeaux

Quelques feuilles de laitue romaine

Dans une casserole, porter le bouillon de poulet à
ébullition. Baisser le feu au minimum pour tenir le bouillon
juste chaud.

Dans une grande casserole, chauffer l'huile d'olive et
le beurre. Ajouter l'oignon et sauter 2 minutes. Ajouter
les dés de poulet et cuire 5 minutes, en remuant
fréquemment. Ajouter le riz en remuant pour bien enrober
les grains de matière grasse. Ajouter une grosse louche de
bouillon chaud, juste assez pour couvrir le riz. Mélanger
jusqu'à ce que le bouillon soit absorbé. Ajouter une
autre louche de bouillon pour que le riz soit encore juste
couvert de liquide. Mélanger jusqu'à ce que le bouillon
soit absorbé. Poursuivre de la même façon jusqu'à ce que
tout le liquide ait été utilisé. Le riz devrait à ce point être
très crémeux.

Ajouter les anchois, le poivre, la sauce Worcestershire et
le parmesan râpé. Bien mélanger.

Tapisser des assiettes individuelles de romaine. Déposer
le risotto sur la laitue, garnir de copeaux de parmesan et
servir immédiatement.

Sauté de poulet à la citronnelle

PORTIONS: 4   **PRÉPARATION:** 15 min   **CUISSON:** 10 min   **RÉFRIGÉRATION:** 1 h

600 g (20 oz) de filets de poulet, émincés

2 c. à soupe de sauce de poisson (nuoc-mâm)

1 c. à soupe de curcuma, en poudre

3 gousses d'ail, hachées

4 bâtons de citronnelle, hachés

1 échalote, hachée

1 c. à soupe de sucre

2 c. à soupe d'huile de tournesol

1 oignon, en tranches minces

1 petit piment, émincé

1 c. à café de sauce soya

2 oignons verts, émincés

1 c. à soupe d'arachides, concassées

Dans un bol, mélanger les filets de poulet, la sauce de poisson, le curcuma, l'ail, 1 c. à thé de citronnelle, l'échalote et le sucre. Réfrigérer 1 heure.

Égoutter le poulet et réserver la marinade.

Dans un poêlon (ou dans un wok), chauffer l'huile de tournesol. Ajouter le reste de la citronnelle, l'oignon et le piment. Sauter 3 minutes. Ajouter le poulet et sauter 4 minutes. Ajouter la marinade et laisser évaporer 3 minutes. Arroser de sauce soya.

Répartir dans des assiettes individuelles. Garnir d'oignons verts et d'arachides. Servir immédiatement.

Sauté de poulet aux pêches

PORTIONS: 4   **PRÉPARATION:** 15 min   **RÉFRIGÉRATION:** 30 min   **CUISSON:** 14 min

250 ml (1 tasse) de nectar de pêche

2 gousses d'ail, hachées

1 c. à soupe de thym frais, haché

Sel et poivre

2 poitrines de poulet, sans la peau, en cubes

2 c. à soupe d'huile végétale

1 oignon, en quartiers

125 ml (½ tasse) de bouillon de poulet

1 c. à café de gingembre frais haché

1 c. à soupe de sauce teriyaki

6 pêches, pelées, dénoyautées et tranchées

1 c. à soupe de cerfeuil haché

Dans un bol, mélanger le nectar de pêche, l'ail, le thym et une pincée de sel et de poivre. Ajouter les cubes de poulet et mélanger. Couvrir et réfrigérer 30 minutes.

Dans un poêlon, chauffer l'huile et sauter les oignons 2 minutes. Ajouter les cubes de poulet égouttés et sauter 8 minutes. Ajouter la marinade et le bouillon de poulet. Porter à ébullition. Baisser le feu, ajouter le gingembre, la sauce teriyaki et les pêches. Cuire 4 minutes.

Répartir dans des assiettes creuses. Garnir de cerfeuil et servir immédiatement.

Super club sandwich au poulet

PORTIONS: 2 **PRÉPARATION:** 15 min

3 grandes tranches de pain de mie

1 poitrine de poulet, cuite et coupée en tranches fines

1 mangue, pelée et coupée en tranches fines

1 avocat, pelé et coupé en tranches fines

1 tomate, en tranches fines

1 bouquet de roquette

2 tranches de fromage suisse

Sauce

2 c. à soupe de mayonnaise

1 c. à café de moutarde de Dijon

1 c. à soupe d'aneth frais haché

Préparer d'abord la sauce. Dans un bol, mélanger la mayonnaise, la moutarde de Dijon et l'aneth.

Badigeonner les tranches de pain de sauce à l'aneth. Couvrir une tranche de pain de la moitié du poulet, de la mangue et de l'avocat. Couvrir d'une tranche de pain. Ajouter le reste du poulet, la tomate, la roquette et le fromage. Terminer par la dernière tranche de pain. Retenir avec des cure-dents. Couper en pointes et servir immédiatement.

NOTE: L'aneth peut être remplacé par de la coriandre ou du basilic.

Suprêmes de poulet farcis aux tomates séchées

PORTIONS: 4   **PRÉPARATION:** 15 min   **CUISSON:** 35 min

4 poitrines de poulet

Sel et poivre

4 tranches de fromage suisse

150 g (5 oz) de tomates séchées, en julienne

2 c. à café d'origan haché

2 c. à soupe d'huile d'olive extra vierge

Préchauffer le four à 150 °C (300 °F).

Ouvrir les poitrines de poulet en deux dans le sens de la longueur, sans les séparer complètement. Saler et poivrer l'intérieur et l'extérieur. Farcir d'une tranche de fromage suisse et des tomates séchées. Ajouter l'origan. Fermer les suprêmes et maintenir à l'aide d'un cure-dent. Badigeonner d'huile d'olive. Saler et poivrer.

Déposer les suprêmes de poulet sur une plaque de cuisson et cuire au four 35 minutes. Servir immédiatement.

Tourte de poulet aux légumes

PORTIONS: 6   **PRÉPARATION:** 40 min   **CUISSON:** 1 h

2 abaisses de pâte feuilletée

1 c. à café de moutarde de Dijon

2 c. à soupe d'huile d'olive
extra vierge

2 poitrines de poulet, en cubes

Sel et poivre

2 carottes, pelées et coupées
en dés

2 poireaux, en tranches

500 ml (2 tasses) de bouillon
de poulet

3 c. à soupe de beurre

1 gros oignon, haché

2 c. à soupe de farine

125 ml (½ tasse) de vin blanc sec

125 ml (½ tasse) de crème
à fouetter 35 %

1 œuf, battu dans un peu d'eau

Étaler une pâte feuilletée dans une assiette à tarte. Piquer le fond avec une fourchette. Badigeonner d'une couche de moutarde. Réfrigérer.

Dans un grand poêlon, chauffer l'huile d'olive et sauter le poulet 2 minutes de chaque côté. Saler et poivrer. Ajouter les carottes et les poireaux. Sauter 3 minutes. Verser le bouillon de poulet et porter à ébullition. Baisser le feu et cuire 15 minutes. À l'aide d'une écumoire, transférer les légumes et le poulet dans la pâte feuilletée. Réserver le bouillon.

Préchauffer le four à 180 °C (350 °F).

Dans une petite casserole, fondre le beurre et sauter l'oignon 4 minutes. Ajouter la farine et mélanger. Verser le vin blanc et le bouillon réservé. Mélanger et cuire jusqu'à ce que la préparation ait épaissi. Goûter et assaisonner de sel et de poivre au besoin. Incorporer la crème. Verser le mélange sur les légumes. Couvrir de la seconde abaisse. Pincer les bords et pratiquer 3 incisions sur le dessus de la tourte. Badigeonner d'œuf battu. Cuire au four 30 minutes ou jusqu'à ce que la pâte soit gonflée et dorée.

Retirer du four et laisser reposer 5 minutes avant de servir.

Vol-au-vent au poulet de grand-mère

PORTIONS: 4 **PRÉPARATION:** 15 min **CUISSON:** 35 min

4 c. à soupe de beurre

1 oignon, haché

2 branches de céleri, hachées

225 g (½ lb) de champignons, en tranches

3 c. à soupe de farine tout usage

750 ml (3 tasses) de lait

1 pincée de muscade moulue

1 pincée de sel et de poivre noir du moulin

450 g (1 lb) de poulet, cuit et coupé en dés

225 g (1 ½ tasse) de petits pois surgelés

6 vol-au-vent précuits

Préchauffer le four à 190 °C (375 °F).

Dans une poêle, faire fondre 2 c. à soupe de beurre. Faire sauter l'oignon et le céleri 5 minutes. Ajouter les champignons et faire revenir 4 minutes. Réserver.

Dans une casserole, faire fondre le reste du beurre. Incorporer la farine en mélangeant 2 minutes. Au fouet, incorporer lentement le lait et porter à ébullition. Réduire le feu et laisser mijoter, en mélangeant, 6 minutes. Ajouter la muscade, le sel et le poivre. Ajouter les légumes réservés, le poulet et les petits pois. Cuire à feu doux pendant 10 minutes, en remuant de temps à autre.

Déposer les bases et les chapeaux des vol-au-vent sur une plaque de cuisson. Réchauffer au four 5 minutes.

Déposer les bases des vol-au-vent dans des assiettes individuelles. Remplir de sauce au poulet et aux légumes. Couvrir avec les chapeaux et servir immédiatement.

Dans la même collection